LÉA

F POUR fille

Texte : MEREDITH BADGER
Illustrations : ANNE CRESCI, colagene.com

Héritage jeunesse

L'art de se coiffer en deux minutes... top chrono

Jamais sans mon sac de couchage à pois

Même en camping, restons stylés !

Mes super bottes d'aventurière

Coucou! Moi, c'est Léa!

J'aime :

♡ Bouger. Je suis une fille hyperactive!

♡ Mes deux meilleures amies Mégane et Alicia… et j'aimerais aussi qu'elles s'entendent entre elles!!!

♡ Les feux de camp, surtout s'il y a des S'mores à faire griller dessus. Trop miam!

Je n'aime pas :

♥ M'ennuyer… les activités calmes, très peu pour moi.

♥ Les légumes cuits (beurk et rebeurk).

♥ Philippe Leroux. Ce garçon m'agace…

CHAPITRE 1

Une nouvelle amie

— OK, tout le monde! crie
M. Parenteau par-dessus le vacarme.
Il vous reste dix minutes
pour résoudre dix équations!

Soupir. C'est le plus LONG
cours de maths de toute ma vie!!

Pourtant, j'adore ça normalement.
Mais aujourd'hui, impossible
de me concentrer.

— J'aimerais tellement que la cloche
sonne, là, maintenant…

— Moi aussi! dit Alicia. Je dois
terminer mes bagages pour demain.

Allez, je l'avoue. Oui, je trépigne
d'impatience… parce que demain,
nous partons en excursion avec
l'école! Nous allons nous rendre
au bord d'un lac pour y faire
du canot. Mais le plus excitant,
c'est que nous passerons la nuit là-bas!
Trop chouette!

— Ce serait mieux si seule notre classe
y allait, lance Marie, assise tout près
de nous. Les élèves de la classe
de Madame Trudel sont vraiment
snobs. Je suis sûre qu'ils n'aiment pas
partir en camping.

— Ils vont probablement paniquer
en voyant une tache de boue!
se moque Alicia.

Je ne sais pas trop quoi répondre. En fait, j'ai déjà fait partie de la classe de Madame Trudel avec ces élèves, et j'ai appris à les connaître.

Ma première meilleure amie, Mégane, est d'ailleurs dans cette classe. Nous pensions vraiment finir l'année ensemble… Mais il y a deux mois, les professeurs ont décidé de changer certains élèves de classe. J'étais à la fois excitée et **terrifiée** quand Madame Trudel m'a annoncé que j'en faisais partie. Parce que tout le monde, dans la classe de Madame Trudel, disait que les élèves de la classe de Monsieur Parenteau étaient grossiers et méchants.

« Les garçons attrapent des mouches, puis ils les mangent ! » m'avait raconté Mégane en faisant une grimace.

«Et les filles se suspendent
au module à grimper même
lorsqu'elles portent des robes,
avait ajouté Juliette. Ça ne les dérange
pas que les autres voient
leurs sous-vêtements, on dirait.»

«Et en plus, Monsieur Parenteau
crie sans arrêt», avait dit Clara.

Alors, évidemment, mon cœur
a bien failli exploser (BANG!)
la première fois que je suis entrée
dans la classe de Monsieur Parenteau!
Heureusement, il ne criait pas.
Il se tenait debout à l'avant de la classe
et regardait le tableau d'un air pensif.
Lorsqu'il m'a aperçue, il s'est retourné
et m'a souri. Avec un grand sourire
amical qui a complètement changé
l'apparence de son visage. Wow!

— Bonjour, Léa. Bienvenue
dans notre classe! Il y a une place
libre à côté d'Alicia.
Elle va pouvoir t'aider à t'installer.

J'avais déjà vu cette fille
dans la cour d'école. Elle est grande
et musclée, et elle pratique des sports
le midi. Elle a souvent des bleus
sur les genoux, et ses vêtements
sont toujours tachés d'herbe.

«Elle est tellement brusque!»
a dit Mégane en apprenant
qu'elle était ma nouvelle amie.

Alicia peut effectivement paraître
un peu brusque par moments.
Mais elle a l'air de bien s'amuser,
au moins!

Avant, comme j'étais toujours
avec Mégane, je ne lui parlais jamais.

Mais ce jour-là, M. Parenteau
m'a installée à côté d'Alicia.
Et j'ai fait LA faute d'orthographe
qui a changé ma vie.

En fait, en cherchant ma gomme
à effacer, je me suis rendu compte
que je l'avais oubliée à la maison.
Catastrophe!! Je ne savais pas quoi
faire! Dans la classe de Madame
Trudel, j'aurais tout simplement
demandé à Mégane ou à Juliette
de me prêter la leur. Mais voilà,
je ne connaissais PERSONNE
dans ma nouvelle classe…

Je me suis soudain sentie seule
au monde. Cette année allait être
atroce!!!

C'est à cette même seconde
(qui m'a semblé une éternité)

que quelqu'un a tapé sur mon épaule.
C'était Alicia qui me tendait
sa gomme à effacer.

— Tiens, tu peux utiliser la mienne.
Ne te gêne pas pour m'emprunter
tout ce dont tu as besoin.

Je l'ai regardée avec des larmes
plein les yeux. Les siens étaient bruns
et gentils, et des fossettes apparaissaient
sur ses joues. J'ai pris sa gomme
à effacer, qui avait la forme et l'odeur
d'une fraise.

— Oh, merci! Tu m'as sauvée!
lui ai-je dit en lui redonnant
sa gomme à effacer.

À partir de ce jour, Alicia et moi
sommes devenues les meilleures
amies du monde.

Bon, il faut que je sois honnête. Alicia et moi, nous sommes amies en classe. Parce que pendant notre pause à midi, je vais toujours retrouver Mégane. Une fois, j'ai essayé de passer la récréation avec Alicia pour voir.

Malheureusement, Mégane a ensuite été très **fâchée** contre moi (aïe!).

— Préfères-tu Alicia à moi? m'a-t-elle demandé d'une voix bizarre, comme si elle était sur le point de pleurer.

— Bien sûr que non, voyons!

J'ai voulu lui expliquer que je les aimais bien toutes les deux, mais j'ai hésité.

Je n'étais pas certaine que c'était ce que Mégane avait envie d'entendre. Alors, je n'ai rien ajouté.

Ça a semblé rassurer Mégane.
Elle m'a serrée fort dans ses bras
en me disant :
— Je suis tellement heureuse
d'être celle que tu préfères !

Voilà. Je suis passée à côté
du **draaame**. Mais après ce jour-là,
je n'ai plus pu passer **UNE SEULE**
récréation du midi avec Alicia, même
si elle me le proposait tous les jours.

C'est curieux, tout ça. J'ai souvent
souhaité être amie avec un tas de gens.
Mais au bout du compte, ce n'est
peut-être pas ce qu'il y a de mieux…

Chaque fois que j'ai l'occasion
de faire un vœu, je souhaite maintenant
toujours la même chose : que mes deux
meilleures amies s'entendent bien.
Ce serait tellement plus simple !

Questions de fille

Qui est
ta meilleure
amie ?

Est-ce qu'elle
s'entend bien
avec tes autres
amies ?

Est-ce que
ta meilleure
amie est dans
ta classe ?

Est-ce possible
d'avoir plusieurs
meilleures
amies ?

CHAPITRE 2

Ma BFF numéro 1

DRING! La cloche de la liberté sonne enfin!

Le cours de maths est terminé. Tout le monde commence à parler et à ranger ses affaires. Monsieur Parenteau doit crier pour se faire entendre.

— Soyez ici à 8 h demain matin, ok? Si vous êtes en retard, nous partirons sans vous!

Note à moi-même : arriver
à 7 h 30 **MAXIMUM**. On ne sait jamais,
hein ?

— Veux-tu rentrer à la maison
avec moi ? me demande Alicia.

— Euh… je dois rejoindre Mégane
devant l'entrée principale.
Mais nous pourrions peut-être
marcher ensemble toutes les trois ?

— Non, ça va ! s'empresse
de répondre Alicia. Je viens
de me rappeler que j'ai quelque chose
à faire. On se voit demain !

Soupir. Pourquoi mes amies
ne font-elles pas un effort
pour apprendre à se connaître ?

Mégane m'attend comme convenu
devant l'entrée principale. Elle porte
encore un nouvel ensemble

aujourd'hui. Ça ne m'étonne plus,
parce que sa mère travaille pour
un magazine de mode. Mégane
a donc souvent **des vêtements neufs**,
des accessoires super cool et plein
de cadeaux trop chouettes comme
des bijoux, des affiches et du vernis
à ongles.

Mais je n'ai jamais été **jalouse**
de mon amie, car elle est généreuse
et m'a déjà donné plein de choses.

Par contre, je ne sais pas trop
pourquoi, les vêtements sont toujours
plus beaux sur Mégane que sur moi.
Enfin, si, je sais un peu pourquoi.
Mégane est le type de fille qui fait
tourner les têtes. C'est peut-être
à cause de ses longs cheveux foncés,
de ses grands cils ou de son sourire.

Ou bien un mélange de tout ça.
Quand j'enfile les vêtements
de Mégane, j'ai souvent l'impression
d'être une petite fille qui essaie
de s'habiller comme une adulte.
Mais lorsque c'est mon amie
qui les porte, elle ressemble
à ces mannequins photographiées
dans les magazines de sa mère.
Ah, quelle star, ma BFF numéro 1!

Aujourd'hui, Mégane a mis
un jean dont les bords sont retournés,
une veste rose et une casquette
à carreaux. Je sais déjà que
la casquette ne m'irait vraiment pas,
mais Mégane la porte trop bien.

Sous la casquette, par contre,
le visage de Mégane n'a pas l'air

content du tout. Alors que nous commençons à marcher, elle **explose** :

— Je ne veux pas faire cette excursion scolaire stupide !

— ... Et pourquoi ?

J'ai le cœur serré, car j'ai l'impression de ne jamais trouver les bons mots quand Mégane est de mauvaise humeur.

— Il fera froid et ce sera terrible ! répond Mégane. Madame Trudel dit qu'il n'y a même pas d'électricité !

— Il paraît qu'il n'y aura pas non plus de douches, ajoute Sophia, une autre élève de la classe de Mme Trudel qui nous a rejointes. Beurk !

Mégane la regarde, scandalisée.

— Pas de douches ?! Mais c'est affreux !

Je souris en coin sans rien dire.
Disons que je suis assez amusée
d'apprendre qu'il n'y aura pas
de douches au camping. Comme ça,
personne ne remarquera que je sens
mauvais (pas tout le temps, je précise !
C'est juste quand je sue trop), puisque
tout le monde sentira mauvais !

— Ce ne sera pas si terrible, va.
Ah, et en plus, il y aura **une fête**
avec de la musique ! dis-je.

Ça, je sais que ça va remonter
le moral de Mégane.

— Pour vrai ? s'écrie Mégane,
qui retrouve tout à coup son sourire.
Alors, ok, ce ne sera pas si terrible
que ça, finalement !

Hum ! Mon petit doigt me dit
que Mégane a changé d'avis

parce qu'elle s'imagine déjà en train de danser avec LE BEAU Justin Houde. Justin a des cheveux blonds hérissés et les yeux verts. Plusieurs filles trouvent qu'il ressemble à Justin Bieber et l'adorent. Mais moi, je le trouve vraiment pénible. Pas autant que l'**infernal** Philippe Leroux… mais presque.

Nous voici arrivées devant la maison de Mégane.

— À demain! lui dis-je en souriant.

— Bye! Et n'oublie pas d'apporter de quoi grignoter! La nourriture ne sera pas bonne là-bas, j'en suis sûre.

Questions de fille

Est-ce que tu aimes la mode ?

Comment choisis-tu les vêtements que tu vas porter ?

As-tu déjà porté quelque chose qui ne t'allait vraiment pas ?

Est-ce que tu trouves que les vêtements tendance te vont bien ?

CHAPITRE 3

J-1 avant le départ!

Puisque c'est la deuxième moitié du mois, j'habite avec mon père. Eh oui, je vis avec ma mère les deux premières semaines, et avec mon père les deux autres. Alors, je possède tout en double : deux brosses à dents, deux lits, deux commodes.

Mais pas le double de vêtements, **malheureusement**! Je dois les apporter chaque fois que je change de maison.

J'ouvre la porte de la maison en criant :

— Bonjour, papa!

— Bonjour, mon petit monstre!

Mon père m'appelle toujours comme ça. C'est notre petit secret à tous les deux.

— Vas-tu travailler avec moi cet après-midi? demande-t-il.

Mon père est illustrateur et travaille à la maison. J'aime bien m'installer sur le sol de son studio pour dessiner pendant qu'il crayonne sur son bureau.

— Je ne peux pas aujourd'hui, papa. Je dois faire mes bagages!

Vu que je change tout le temps de maison, je suis devenue une vraie pro des bagages.

Je prépare donc mon sac à dos en deux temps, trois mouvements.

DEDANS, IL Y A :

**UN OREILLER
ET UN SAC DE COUCHAGE**
trop confortables

**MON MAILLOT DE BAIN
PRÉFÉRÉ À GROSSES FLEURS**
Je compte bien me baigner !

**DE TOUTES NOUVELLES
BOTTES DE PLUIE**
que maman m'a achetées

**MA BROSSE À DENTS
ET MON DENTIFRICE**
à la menthe glaciale

**MA BROSSE
À CHEVEUX**
(indispensable !)

**UN SHORT
DE SPORT**

**MON TEE-SHIRT
À MESSAGE**
(parce qu'on ne part
pas tous les jours
en camping !)

la vie est faite pour partir à l'aventure

Ah, oups! J'allais oublier
mon pyjama! On dormira bien
un peu, quand même!

Ensuite, je me dirige vers la cuisine.
J'aimerais bien apporter un sac de chips
barbecue (**mes préférées**) au cas
où Mégane aurait raison pour
la nourriture au camping. Mais
comme mon père ne me permet pas
souvent de manger des cochonneries,
je dois être discrète. **Trèèèès** discrète.

Zut! Il est en train de couper
des légumes pour le repas.
— Tu viens me donner un coup de
main? demande-t-il sans lever les yeux.
— Oui, oui, j'arrive!

Que puis-je faire pour ne pas attirer
son attention? J'ouvre doucement
la porte du placard, l'air de rien.

Excellent! J'aperçois un gros sac
de chips sur une tablette. Soudain,
un **ÉNORME** bruit retentit!

Catastrophe! Je tousse pour
camoufler le son, mais mon père lève
la tête du comptoir. Je cache vite
le sac de chips dans mon dos.

— As-tu attrapé un rhume?
demande-t-il, inquiet.

— Non, j'avais juste un picotement
dans la gorge, ne t'en fais pas.

Ouf! Je me sauve dans le couloir
en me retenant de rire.

— En passant, j'ai acheté des chips
pour ton excursion scolaire!
Elles sont dans le placard.

Oh non! J'ai fait tout ça pour rien!

Maintenant que mes bagages
sont prêts, j'aide papa à préparer

le repas. Nous mangeons des pâtes,
ce soir, et c'est moi qui dois faire
cuire les spaghettis. Pendant que
je surveille la casserole, je n'arrête pas
de me poser des questions.

Impossible de penser à autre chose
qu'à cette excursion ! Après tout,
je vais peut-être m'ennuyer
de la maison ou me faire piquer
par une guêpe. Je pourrais même
tomber dans le lac pendant
la randonnée en canot.
C'est la panique **TOTALE** !

— Tu dois avoir hâte de faire
ta première excursion scolaire,
mon petit monstre, dit mon père
d'un air engageant.

— Je pense que oui… dis-je
en remuant pensivement mes pâtes.

Je broie **des idées noires** jusqu'au
moment d'aller au lit. Qu'arrivera-t-il
par exemple si je dois aller
aux toilettes au cours de la nuit?
Il fera sombre dans les buissons,
et il n'y aura pas d'électricité.
Et même si je n'ai pas peur du noir,
j'avoue que j'aime bien qu'il y ait
de la lumière tout près.

Mon père entre dans ma chambre
pour me souhaiter bonne nuit.
Et si je lui disais que je ne veux plus
faire l'excursion? Est-ce qu'il
accepterait que je reste à la maison?
Je pourrais peut-être l'aider en taillant
ses crayons…

Mon père s'assoit au pied du lit
et me tend un petit paquet.
Il a dessiné sur l'emballage

un monstre avec un sac à dos.

Ça me fait sourire.

— Le monstre a l'air inquiet, papa.

— Il est un peu nerveux, mais il est aussi excité. Pourquoi n'ouvres-tu pas ce paquet pour voir ce qu'il y a à l'intérieur?

Je déchire l'emballage et découvre dans la boîte un crayon lumineux argenté. Je l'allume machinalement. **Wow!** Ce crayon éclaire toute la pièce!

— Quand je suis parti la première fois en camping, j'ai gardé une lampe de poche sous mon oreiller toute la nuit, raconte mon père. Ça m'a aidé à ne pas avoir peur.

— Je n'aurai pas peur, promis, lui dis-je en lui faisant un gros câlin.

CHAPITRE 4

Dans le bus

Ce matin, quand j'arrive à l'école avec mon père, plusieurs élèves sont déjà groupés dans la cour. Deux autobus scolaires sont stationnés dans la rue.

J'embrasse mon père.

— À demain!

— Amuse-toi bien, mon petit monstre, répond-il. Tu vas me manquer.

J'ai une boule qui se forme dans ma gorge en le regardant tourner au coin de la rue. Pendant un moment, j'ai même l'impression que je vais pleurer devant tout le monde. Heureusement, j'entends soudain mon nom. Mégane et Alicia ont crié mon nom en même temps et s'approchent de moi, venant chacune d'une direction différente. Elles ont toutes les deux l'air si énervées que je redeviens tout excitée moi aussi.

— Léa! Tu veux t'asseoir avec moi dans le bus? me demandent-elles en chœur.

AÏE! Gros problème en vue. Que dois-je faire?

Puis, je sens une main se poser sur mon épaule. C'est Madame Trudel, mon ancienne enseignante.

— Bonjour, Léa, dit-elle en souriant. Ta mère vient de téléphoner à l'école

pour nous rappeler que tu as le mal
des transports. Tu devrais t'asseoir
à l'avant avec moi.

Et BAM! Me voilà rouge comme une pivoine. Ma mère a vraiment le don de me faire honte parfois, grr!

Je m'apprête à dire à Madame Trudel que je peux très bien m'asseoir à l'arrière. Et soudain, miracle! Il me vient l'idée du siècle. Si je m'assois avec Madame Trudel, je n'aurai pas à choisir entre mes deux amies et n'en décevrai aucune!

— OK, lui dis-je en me sentant un peu bête.

Puis je me retourne en direction d'Alicia et de Mégane.

— Vous pourriez peut-être vous asseoir ensemble, les filles?

— Je vais m'asseoir avec Juliette, réplique Mégane.

— Et moi avec Marie, ajoute Alicia.

Nouveau soupir intérieur.

Je sens que cette journée sera
TRÈS compliquée.

L'autobus part quelques minutes
plus tard. Il n'a pas fait deux
kilomètres que quelqu'un donne
un coup de pied sur mon siège.
Je tourne la tête en bougonnant
et découvre… Philippe Leroux.
Oh non, pas ça!

Cet imbécile me sourit et met
un doigt dans son nez. **Beurk!**
Mais qu'est-ce que j'ai fait au juste
pour que le garçon le plus dégoûtant
et désagréable de l'école se retrouve
derrière moi?

On dirait vraiment que Philippe
est là pour me pourrir la vie.
Chaque semaine, il invente

une nouvelle façon de me taper
sur les nerfs. Il me lance des avions
en papier. Il lâche un **gros** pet
et prétend que c'est moi qui l'ai fait.
Il fait des mimiques lorsque c'est
à mon tour de lire à voix haute
en classe, ce qui fait rire tous les élèves.
Tous, sauf un : MOI !!! Je ne le trouve
pas drôle du tout, **ce clown**.

Philippe donne un autre coup
de pied sur mon siège. Là, ça va faire !
Je me retourne et le foudroie
du regard. Le sourire niais de Philippe
s'élargit. **Je vais le tuer !** Heureusement,
quelqu'un à l'arrière de l'autobus
commence à entonner une chanson.
Philippe cesse alors de donner des coups
de pied et chante avec les autres
sur l'air de *Frère Jacques*.

« Monsieur le chauffeur,
Monsieur le chauffeur,
Dormez-vous ? Dormez-vous ?
Allez donc plus vite,
Allez donc plus vite,
On s'ennuie !
On s'ennuie ! »

Quand les élèves arrivent à la fin
de la chanson, ils la recommencent.
C'est vraiment ULTRA agaçant !
Mais je vois mes amies chanter
avec les autres à l'arrière de l'autobus.
Et même si **je déteste** cette chanson,
j'aimerais vraiment être assise
avec elles et m'amuser moi aussi.

Madame Trudel laisse tout le monde
répéter la chanson au moins dix fois
de suite. Soit elle est trop patiente,

soit elle est sourde! Heureusement,
après une éternité, elle s'écrie:
— Le prochain qui chante
cette chanson devra faire le reste
du trajet à pied!

Tout le monde s'arrête
instantanément de chanter.

Ah, enfin! On peut encore entendre
quelques gloussements à l'arrière,
mais mes oreilles ne souffrent plus.
Toutefois, ce calme est de courte
durée, car Philippe recommence
aussitôt à donner des coups de pied
sur mon siège. Nouveau soupir…

Pourquoi ai-je l'impression
que nous roulons depuis des heures?
Il est temps d'arriver, LÀ!

CHAPITRE 5

Chicanes au camping

L'autobus s'engage sur un chemin de terre. Le camping apparaît au loin. Il est entouré de grands arbres sauvages. Il y a un lac d'eau claire et miroitante tout près, au bord duquel sont alignés plusieurs canots colorés. C'est magnifique !

Je retrouve immédiatement mon sourire et ne regrette pas d'avoir enduré ce voyage. Je suis sûre qu'on va bien s'amuser, ici.

Mégane surgit à côté de moi.

— Non, mais c'est quoi cet endroit !
Dis-moi que je rêve ! s'indigne-t-elle.

Je sens que je vais m'impatienter.
Pourquoi Mégane doit-elle
obligatoirement tout critiquer ?
Moi qui suis si heureuse d'arriver,
elle ne va pas tout gâcher,
quand même !

Monsieur Parenteau m'empêche
d'**exploser** en tapant des mains.
Il demande à tous les élèves
de s'approcher de lui. Je me trouve
entre Alicia et Mégane.

— OK, tout le monde ! dit-il.
Je vais maintenant attribuer les tentes.

— Nous ne pouvons pas choisir ?
demande Alicia, étonnée.

— Pas cette fois. Nous avons jumelé
des élèves des deux classes pour

que vous appreniez à mieux vous connaître.

Monsieur Parenteau se met à nommer des élèves et donne une tente à chaque groupe.

— Tente numéro 12, dit-il au bout d'un moment. Léa, Mégane et Alicia.

Nous nous regardons sans rien dire, stupéfaites. Mes deux amies restent immobiles comme si elles venaient de se transformer en statues.

OH. LE. MALAISE.

Il faut que je réagisse, et vite!

— Allez, les filles. Nous ferions mieux d'aller monter notre tente.

Je prends le sac et commence à marcher, suivie par Mégane et Alicia. Nous nous mettons à la recherche d'un endroit où installer notre tente.

Et c'est là que la partie de plaisir débute. J'ai toujours pensé que les pires personnes avec lesquelles partager une tente sont celles qui sentent des pieds, ronflent ou sont désagréables comme Philippe. **Eh bien, non!** En fait, les pires personnes avec lesquelles partir camper sont mes deux meilleures amies!!

Les ennuis ne tardent d'ailleurs pas à commencer. Comme Alicia a l'habitude de faire du camping, elle nous explique ce que nous devons faire. Ou plutôt, elle nous donne des ordres. Et elle s'impatiente lorsque nous ne travaillons pas à sa manière.

— Léa, me dit-elle, tiens ce mât.

J'en prends un dans les mains.

— Non, pas celui-là, idiote ! Le plus court.

S'il y a quelque chose que je déteste dans la vie, c'est bien me faire traiter d'idiote. Mais je sens que ce n'est pas le moment de me fâcher. Alors, je me tais et prie intérieurement pour que la tente soit installée au plus vite.

— Maintenant, Mégane, ajoute Alicia, tu dois tendre le plus possible la corde.

Mégane la regarde **méchamment**.

— Je ne dois pas faire quoi que ce soit.

Alicia lève les yeux vers Mégane et la fixe.

— Oui, sinon la tente va tomber par terre.

Mes deux amies se fusillent
du regard… et Mégane lâche la corde
qu'elle tenait.

— Alors, j'espère qu'elle va tomber
sur ta tête !

Ah !!! DANGER, DANGER !

Les oreilles d'Alicia deviennent
rouges et ses lèvres se crispent.
Je sais parfaitement ce que cela
signifie. Il va falloir que je réagisse
très vite avant qu'Alicia s'emporte
et se jette sur Mégane !

— Mégane, dis-je sans réfléchir,
peux-tu demander des piquets
supplémentaires à M. Parenteau ?
Nous n'en aurons pas assez.

Pendant quelques instants,
j'ai l'impression qu'elle va refuser

de le faire. Je la regarde avec des yeux de chien battu.

— D'accord, dit-elle finalement.
Mais c'est pour toi que je le fais, Léa.

Après le départ de Mégane, la tente semble soudain plus facile à installer.

— Mégane est une vraie plaie, se lamente Alicia pendant qu'elle pose les piquets.

— Elle peut parfois être énervante, c'est vrai.

Alicia me regarde d'**un air surpris**. Oui, normalement, je me porte toujours à la défense de Mégane. Mais aujourd'hui, elle me tombe aussi sur les nerfs. Alors, pour une fois, je dis tout haut ce que je pense tout bas.

— J'étais tellement fâchée
que je l'aurais attachée à l'arbre
avec la corde! plaisante Alicia.

— Je doute que Mégane apprécierait.
Les cordes ne sont pas assorties
à ses vêtements!

Nous éclatons de rire.

Ça fait du bien après la tension
que nous venons de vivre. Mais
je regrette aussitôt d'avoir dit cela.
Après tout, Mégane est mon amie
depuis longtemps et m'a toujours
soutenue. Je me souviens que le jour
où j'ai échoué à un examen
de grammaire, Mégane a imité Selena
Gomez et a dansé durant toute
la récréation pour me remonter
le moral. Qu'une autre fois, elle m'a
donné la moitié de son repas parce

que j'avais oublié le mien à la maison. Et puis que chaque fois que je dors chez elle, elle me laisse le lit du dessus.

Je lance alors à Alicia :

— Je sais que Mégane peut aussi être **énervante**, mais elle peut aussi être très drôle et vraiment gentille.

Alicia ne dit rien, mais je vois qu'elle ne me croit pas une seule seconde. Ce n'est pas grave, la tente est maintenant installée.

CHAPITRE 6

Excursion en canot

Madame Trudel appelle tout le monde quelques minutes plus tard.

— Nous ferons du canot cet après-midi! annonce-t-elle.

Alicia est tout excitée. Elle agrippe mon bras en souriant.

— Il y a toutefois certaines règles à suivre, poursuit Madame Trudel. Tout d'abord, vous devez porter un gilet de sauvetage, dit-elle en nous montrant la pile à ses pieds.

Deuxième règle, vous n'avez pas le droit d'éclabousser ni de faire chavirer les autres canots. Tout élève pris à enfreindre l'une de ces règles sera immédiatement expulsé du lac. Compris?

Tout le monde hoche la tête.

— Enfin, il y a une limite de deux personnes par canot.

NON!! Je me retourne, paniquée, vers Mégane et Alicia. Elles me regardent évidemment toutes les deux!

— Allez, Léa, dit Mégane.

Quel est ton choix?

C'est un véritable **ENFER**, cette excursion! Impossible de préférer une meilleure amie à une autre. Réfléchis, Léa, réfléchis! Et c'est là que je me souviens soudain

49

du truc que m'a donné mon père
lorsqu'il doit prendre une décision
embêtante.

Je fouille dans la poche
de mon short et y trouve une pièce
de monnaie.

— Écoutez, les filles. Je vais lancer
cette pièce de monnaie dans les airs
et la rattraper sur ma main.
Si elle tombe sur face, j'irai avec
Mégane. Et j'irai avec Alicia
si c'est pile.

Mégane et Alicia hochent la tête.
Ça leur semble juste. Ouf! Alors,
je lance la pièce de monnaie
dans les airs, puis l'attrape. Face!
— **J'ai gagné!** s'exclame Mégane
en sautillant sur place.

Alicia hausse les épaules.

— Ça m'est égal, dit-elle
en s'éloignant. Je trouverai
quelqu'un d'autre.

Madame Trudel distribue les gilets
de sauvetage et nous montre
comment les enfiler. Mais Mégane
fait de nouveau la grimace.
— Je refuse de porter cette chose !
se plaint-elle en tenant le gilet
de sauvetage avec deux doigts,
l'air dégoûtée. C'est tellement laid !

Nouveau soupir.

Tout le monde est déjà sur le lac
au moment où nous mettons
enfin notre canot à l'eau. Monsieur
Parenteau rame à côté de nous
pour nous donner quelques trucs.
— Essayez de ramer en même temps,
explique-t-il. Un coup de rame

chacun de votre côté vous permettra de vous déplacer en ligne droite.

Je maîtrise la technique du premier coup. **Trop fière!**

Par contre, Mégane n'arrive pas à suivre mon rythme, si bien que le canot tourne en rond.

Ne. Pas. S'impatienter.

Je regarde du côté d'Alicia
et Marie, qui pagayent comme
si elles avaient fait du canot
toute leur vie. Je les envie tellement!
— C'est amusant, non? nous lance
justement Alicia avec des étincelles
dans les yeux.
— Non, répond bêtement Mégane.
C'est stupide, cette activité!
Soudain, des gouttelettes
se mettent à tomber
sur nos têtes. Je cherche
des yeux les nuages,
mais n'en vois aucun
dans le ciel. Que
se passe-t-il?
C'est là que
j'entends
quelqu'un rire.

Un rire que je connais malheureusement par cœur…

Évidemment, Philippe pagaye à côté de nous. Il partage son canot avec Justin Houde. En le voyant, Mégane sourit pour la première fois depuis son arrivée sur le lac.

— Bonjour, Justin! lance-t-elle en le saluant de la main.

Au moment où il s'apprête à lui répondre, les gouttes d'eau recommencent à tomber. Elles ne viennent pas des nuages, mais plutôt de Philippe. Il enfonce sa rame dans l'eau et la remonte dans notre direction, ce qui déclenche une véritable averse sur nos têtes!

— Arrosons-le, nous aussi! crie mon amie.

Mégane commence aussitôt
à éclabousser les garçons avant que
j'aie le temps de répliquer
quoi que ce soit. Malheureusement,
une bonne partie de l'eau qu'elle
envoie se retrouve sur Alicia et Marie.

— **EH!** crie Alicia en lui envoyant
à son tour de l'eau sur la tête.

Je tente d'intervenir en essayant
de prendre la rame des mains
de Mégane.

— Arrêtez! Nous n'avons pas le droit
de faire ça!

Mais en me débattant avec Mégane,
j'éclabousse encore plus les garçons.
Alors, ils continuent leur manège
sans se rendre compte que Monsieur
Parenteau est tout près de nous

dans son canot. Pas plus que Mégane
et les deux autres filles, d'ailleurs.

— Les filles! Qu'avons-nous dit
à propos des éclaboussures?
s'écrie notre professeur en **colère**.

— Vous connaissez les règles. Vous
devez toutes les quatre sortir
de l'eau. Tout de suite!

Je ne peux pas croire ce qui
m'arrive… Je me dirige vers la rive
avec des larmes plein les yeux.
Mégane, elle, est ravie.

— Ouf, quel soulagement! dit-elle
en sortant l'embarcation de l'eau.
Je n'avais tellement pas envie de faire
du canot!

Alicia est à côté d'elle. **Elle a l'air
fâchée.** Très fâchée, même.

— Tu n'avais peut-être pas envie
de faire du canot. Mais nous, si,
figure-toi ! Nous attendions même
ce moment avec impatience.
Tu sais quoi ? Tu ne penses
qu'à ta petite personne, Mégane.
Tu as gâché l'excursion scolaire
de tout le monde ici !

Oh, le choc !! Mégane est immobile.
Elle ouvre la bouche, mais reste
muette.

Alicia n'en a pas fini avec elle.
Elle place ses mains sur ses hanches
et lui lance, furieuse :
— Je ne comprends vraiment pas
pourquoi Léa est ton amie !
Tu ne t'intéresses qu'aux vêtements.

Mégane croise les bras, rouge
de colère.

— Ce n'est **PAS** vrai! réplique-t-elle. Et puis, je ne comprends pas non plus pourquoi Léa est ton amie. Tu veux toujours tout décider!

Je regarde mes meilleures amies se disputer. Et un déclic se fait dans ma tête. Je n'en peux plus de tout ça. JE NE VEUX PLUS être coincée entre elles!

— STOP! Arrêtez de vous disputer. Je ne veux plus être l'amie ni de l'une ni de l'autre! C'est clair?!?

Puis je me retourne et m'enfuis en courant.

CHAPITRE 7

Alicia ou Mégane ?

Chez mon père, il y a dans la cour un grand arbre dans lequel j'aime bien grimper quand je suis contrariée. Je finis toujours par me sentir mieux une fois en haut.

Alors, après la dispute avec Alicia et Mégane, je repère le plus grand arbre du camping et y monte. De là-haut, je surplombe les tentes et peux voir les élèves faire du canot sur le lac.

Je suis toujours fâchée,

mais je me sens mieux maintenant
que je suis seule et au calme.

Une voix me sort de mes pensées.
C'est Alicia, au pied de l'arbre.
Elle semble toute **penaude**.
— Descends, Léa, s'il te plaît…
Je m'excuse de t'avoir fait de la peine.

Alicia a vraiment l'air désolée,
mais je ne lui réponds pas.
Au moment où, enfin, je baisse
les yeux, Alicia a disparu.

Quelques minutes plus tard,
une autre voix se fait entendre
en bas. Cette fois, il s'agit de Mégane.
— C'est ridicule, tout ça. Descends
de l'arbre, on va en discuter.
— Va-t'en, Mégane. Moi, je reste ici.

Un peu plus tard, j'entends encore des bruits de pas. Quelqu'un d'autre vient me déranger. Zut! Pourquoi ne me laisse-t-on pas tranquille? C'est énervant, à la fin!

— Léa Sénécal! Qu'est-ce que tu fais?

Oups! En regardant en bas, je vois Madame Trudel. Et elle a l'air fâchée.

— Tu dois servir le repas de ce soir, ordonne-t-elle. J'exige que tu sois descendue d'ici une minute, c'est compris?

Madame Trudel peut parfois faire très peur. Alors, je descends de l'arbre sur-le-champ.

— Si tu fais une autre bêtise comme celle-là, attention, tu seras renvoyée chez toi! m'avertit-elle.

Allez, va aider les autres avec le repas, maintenant.

— Oui, Madame Trudel, dis-je tout doucement en regardant mes chaussures.

Alicia et Mégane ont déjà commencé à servir le repas au moment où je les rejoins. Je m'installe entre les deux sans rien dire. Alicia dépose les saucisses dans les assiettes au fur et à mesure que les élèves passent devant elle. Mégane ajoute une cuillère de purée de citrouille. Moi, je dois donner une portion de petits pois à tout le monde.

Nous travaillons toutes les trois côte à côte sans nous adresser la parole.

Et puis, soudain, j'entends un drôle
de bruit.

Ça ressemble à un bruit
de succion. Je ne comprends pas
au début d'où il peut venir. Puis,
je me rends compte qu'il se produit
chaque fois que Mégane dépose
de la purée de citrouille dans
une assiette.

Je la regarde. Mégane sourit
et refait le bruit en aspirant l'intérieur
de sa joue. C'est un bruit **VRAIMENT**
dégoûtant!

Je voudrais rire, mais je me retiens.
Parce que si je ris, ça voudra dire
que je ne suis plus fâchée.

Le manège de Mégane continue.
Et tout à coup, Alicia rit doucement.

Je vois qu'elle se retient autant
qu'elle le peut.

Philippe est le suivant dans la file.
Oh non, pas lui! Je n'ai vraiment,
mais **VRAIMENT** pas envie de le servir.
— Je meurs de faim! dit-il en tendant
son assiette. J'en veux beaucoup!

Alicia me regarde et me fait un clin
d'œil. Elle prend la plus petite saucisse
du plateau et la dépose dans l'assiette
de Philippe.

C'est à mon tour de sourire.
Je dépose soigneusement cinq petits
pois à côté de la minuscule saucisse.
Et Mégane embarque dans notre jeu
en lui donnant une microscopique portion
de purée de citrouille.

Philippe baisse les yeux
vers son assiette, totalement ahuri.

— Mais je meurs de faim, moi!
dit Philippe, visiblement fâché.
— Oh! Alors, nous t'en donnerons
plus! répond Mégane.

Elle prend une énorme cuillère
de purée… et **SPLASH**! La purée
de citrouille recouvre tous les autres
aliments dans l'assiette de Philippe.
Il y en a jusque sur ses vêtements
et son menton, c'est fou! On dirait
qu'il porte une barbe de citrouille.
La purée a même giclé sur Mégane,
mais ça ne semble pas la déranger.
— En as-tu assez comme ça?
demande-t-elle en le défiant.
En veux-tu plus?

Là, c'est trop! Je ne peux plus
me contenir et j'éclate de rire.
C'est plus fort que moi. Philippe

a tellement l'air ridicule avec
son menton dégoulinant de purée!

Je ris si fort que j'ai l'impression
de me reprendre pour tous les fous
rires que j'aurais dû avoir depuis que
nous sommes partis ce matin.
Et mes amies rient autant que moi.
Nous en perdons même notre souffle.

Philippe, lui, est immobile.
Il nous regarde, puis pose les yeux
sur son assiette de purée de citrouille.
Pendant un instant, je pense qu'il va
être très fâché. Mais il réagit plutôt
d'une façon à laquelle je ne m'attendais
pas du tout… et éclate lui aussi
de rire!

Et il continue à rire en partant
avec son assiette, le menton encore
dégoulinant de purée.

JE. NE. LE. CROIS. PAS.

Est-ce que, pour une fois, Philippe
Leroux se ferait jouer un tour
sans riposter ?

Après une si intense rigolade,
il serait ridicule que mes amies
et moi boudions encore. Alors,
je décide de rompre le silence.

— C'est la chose la plus drôle que j'ai
vue de toute ma vie, les filles, sérieux !

— Ha ha ! Moi aussi, ajoute Alicia
en se tenant le ventre. J'en ai un point
sur le côté. Es-tu encore fâchée ?
me demande-t-elle.

— Non, voyons.

Alors, Alicia se tourne vers Mégane.

— Je m'excuse de t'avoir crié après.
Je pense que je suis jalouse de toi parce
que tu es la plus vieille amie de Léa.

Mégane sourit.

— En fait, moi aussi, je suis jalouse
parce que tu es sa nouvelle amie.

Je les regarde toutes les deux,
étonnée. Jamais je n'aurais imaginé
que c'était là que se trouvait
le problème !

Mes amies et moi observons
ce qui reste dans les plats. Beurk,
ça n'a vraiment pas l'air appétissant.
Les saucisses sont froides, les petits
pois sont tout ratatinés, et la purée
de citrouille est trop liquide.

Alors, j'ai soudain une idée.

— Et si, à la place, on mangeait
les chips que j'ai dans mon sac ?

Mégane approuve tout de suite.

— **Cool !** Moi, j'ai apporté
des biscuits et du chocolat. Et toi,
Alicia ?

Alicia secoue la tête de gauche
à droite, l'air désolé.

— Je n'ai rien apporté…

— Rien du tout ? demande Mégane.

— Seulement des raisins secs.
Ma mère n'achète jamais de friandises.

— Bah, ça fera très bien l'affaire
pour notre festin, la réconforte
Mégane. J'adore les raisins secs !

Une fois arrivées sous la tente,
les filles et moi sortons
notre nourriture de nos sacs à dos
et commençons à manger.
Nous avons tellement faim après
toutes ces émotions !

Questions de fille

Quand tu es fâchée, que fais-tu pour te calmer ?

T'es-tu déjà fâchée avec une amie proche ?

Est-ce que tu es rancunière ?

Comment t'es-tu sentie ?

Ce soir, on danse !

— Bon, dit Mégane quand
nous avons fini d'engouffrer
toutes nos provisions. Comment nous
habillons-nous pour la fête, les filles ?

Je pense aux vêtements que
j'ai apportés dans mon sac à dos.
Il n'y a rien de vraiment chic là-dedans.
— Nous ne pouvons pas y aller
habillées comme ça ? demande Alicia,
qui n'a pas plus que moi prévu
des habits pour la soirée.

Mégane secoue la tête, sûre d'elle.

— Bien sûr que non! Nous devons nous vêtir convenablement.

— Mais je n'ai rien apporté d'autre, dis-je, un peu déçue.

— Moi non plus… ajoute Alicia.

Mégane se lève, prend son sac et l'ouvre. WOW! Il déborde de vêtements de toutes les grandeurs et couleurs! Mon amie ne changera jamais!

— Une chance que j'y ai pensé! dit-elle en rigolant.

Elle saisit un chandail brillant et une jupe assortie de couleur argentée pour Alicia, qui regarde l'ensemble d'un air, disons, hésitant.

— Je ne pense pas que ce sera à ma taille, tu sais…

— Essaie, tu verras! insiste Mégane.

Alicia enfile les vêtements.

Ils lui vont à merveille, incroyable !

— Ça me va comment ?

demande-t-elle timidement.

— Tu es TROP belle ! répondons-nous
en même temps avec Mégane.

C'est vrai que le chandail
est magnifique sur Alicia.

Il fait ressortir ses yeux.

Mégane sort ensuite de son sac
un chandail noir recouvert d'étoiles
dorées, un pantalon noir
et une ceinture dorée. Elle me tend
tout ça en souriant.

— Tiens, ma BFF, mets ça !

— Mais c'est tellement chic !

Tu es sûre que ça m'ira ?

— Oui ! Fais-moi confiance !

Et encore une fois, Mégane a
raison. J'ADORE cet ensemble,
il est juste parfait!
— Bon, il faut maintenant vous
maquiller, les filles! ajoute Mégane
une fois que nous sommes habillées.

Elle retire un grand étui rose
de son sac à dos. Et re-WOW!
Il y a dedans une bonne centaine
d'échantillons de maquillage
que sa mère lui a rapportés
de son travail.
— Essayez ça, propose Mégane
en nous tendant un petit pot argent.

Il s'agit d'un brillant à lèvres rose
à senteur de pêche. Avec Alicia,
nous plongeons un doigt dans le pot
et appliquons le brillant sur
nos lèvres. Miam, il est délicieux!

74

— Et voilà pour vos paupières,
dit Mégane en nous remettant
un autre pot qui contient de l'ombre
à paupières de couleur argent.

Elle nous demande de fermer
les yeux pendant qu'elle nous l'applique.
— Vous devez commencer
par l'intérieur de la paupière,
puis vous l'étendez vers l'extérieur,
explique-t-elle.

Lorsqu'elle a terminé, Alicia et moi
nous regardons, toutes surprises.
— Tu as l'air plus vieille! dis-je
à Alicia.
— Toi aussi! Tu es totalement
différente!

J'aimerais vraiment voir à quoi
nous ressemblons. C'est la toute
première fois que je porte autant

de maquillage. Mais de la musique
retentit tout à coup au loin.

— Zut, c'est commencé! s'écrie
Mégane en se relevant. Allons-y!

— Mais tu ne t'es pas changée!
lui dis-je, étonnée.

Le chandail de Mégane est encore
tout taché de purée de citrouille.

— Ah oui, j'allais oublier, dit Mégane.

Elle prend le brillant à lèvres
et l'applique en vitesse, puis secoue
son chandail avec ses mains.
Elle parvient à enlever une partie
de la purée, mais plusieurs morceaux
restent collés sur le tissu.

— OK, je suis prête! lance-t-elle
en sortant de la tente.

Alicia et moi la suivons
machinalement. Je n'en reviens pas.

Qu'est-ce qui est arrivé à la fille impeccable que je connais depuis toujours? Quelqu'un lui a jeté un sort, ou quoi?

— Tu sais, me dit Alicia en me sortant de mes pensées, j'ai toujours **détesté** me maquiller et m'habiller chic. Mais je dois avouer que c'est plutôt amusant.

— Ouais, hein?

Décidément, cette excursion est pleine de surprises!

Questions
de fille

Est-ce que tu aimes te maquiller ?

Te trouves-tu plus belle avec ou sans maquillage ?

Tes parents t'autorisent-ils à te maquiller ?

Es-tu d'accord avec leur décision ?

CHAPITRE 9

La fête

J'ai le souffle coupé en apercevant l'endroit où se tient la fête.
Quelqu'un s'est donné beaucoup de mal pour les décorations.
Des lunes et des étoiles argentées accrochées aux branches scintillent lorsque le vent les fait bouger.
Des serpentins sont enroulés autour des troncs d'arbres, et le sol est parsemé de confettis brillants.
C'est magique !

Un peu à l'écart de la piste de danse, j'aperçois un magnifique feu de camp. Plusieurs élèves sont rassemblés autour et font griller des guimauves sous la supervision de Madame Trudel. Alicia, Mégane et moi nous approchons et dégustons chacune un S'mores rôti. **Miam !**

— Allons danser ! nous supplie Mégane. On n'est pas venues ici pour s'empiffrer !

Installé derrière son ordinateur, Monsieur Parenteau est le DJ officiel de la soirée. Plusieurs élèves sont déjà arrivés, mais ne dansent pas. Ils se tiennent tous debout autour de la piste de danse, visiblement gênés.

Mégane nous agrippe par le bras.

— Venez, les filles ! Allons-y
en premier !

— Non, non. Je ne danse pas bien,
dit nerveusement Alicia. Je préfère
vous regarder.

Mégane secoue la tête.

— Il n'en est pas question ! Tu peux
danser, Alicia. Tout le monde le peut.
Tu n'as qu'à faire comme moi !
Et toi aussi, Léa !

J'imite Mégane, qui a commencé
à danser. Oh que je me sens ridicule !
Tout le monde nous regarde,
c'est super gênant.

Les minutes passent. Et je suis
de plus en plus à l'aise. C'est
tellement chouette de danser !

— Viens, dis-je moi aussi à Alicia.
C'est amusant, je t'assure.

Toujours nerveusement, Alicia commence à danser. Ha ha! Elle est comique. Elle bouge les bras très rapidement. On dirait que des fourmis la chatouillent sous son chandail.

Je suis sur le point de rire quand Mégane m'écrase le pied droit.

— Aïe!

Je crie en sautillant sur ma jambe gauche.

Mégane me fait de gros yeux.

— Ne ris pas, me chuchote-t-elle à l'oreille. Sinon, Alicia va abandonner.

En nous voyant nous amuser sur la piste de danse, les autres élèves nous rejoignent les uns après les autres. Bientôt, tout le monde bouge les fesses, même Madame Trudel et Monsieur Parenteau!

— Eh, les filles ! Regardez-moi ! dis-je en faisant un tour sur moi-même…
avant de me retrouver nez à nez avec Philippe Leroux.

Depuis quand était-il derrière moi, au juste ?

— Ssss… salut, bégaye-t-il.

— Va-t'en ! dis-je en lui tournant le dos.

— Attends, Léa... J'ai quelque chose à te dire.

Il semble **sérieux**, pour une fois. Alors, je sors avec lui de la piste de danse.

— Bon, je te donne dix secondes, pas une de plus !

— Je… je suis désolé d'avoir gâché votre excursion en canot. Je n'ai pas voulu vous attirer d'ennuis, explique Philippe.

Je le regarde d'un air méfiant.
Va-t-il éclater de rire ou me dire
« Je t'ai bien eue », comme il le fait
normalement ? Mais non, il reste
sérieux. Alors, je commence
à le croire.

— Hum… C'est vrai ? Vraiment vrai ?

Philippe hoche la tête.

— Ouais… J'ai réfléchi à tout ça
pendant que je mangeais ma purée
de citrouille. Puis, j'ai tout raconté
à Monsieur Parenteau, et il m'a
promis de vous emmener faire
du canot demain.

Je ne sais même pas quoi dire.
Philippe se serait-il décidé à être
gentil ? Ce garçon ne sait rien faire
d'autre que d'**embêter** tout le monde.
Et là, il est devant moi, tout penaud,

en train de s'excuser. Je rêve,
ou quoi? Pincez-moi, quelqu'un!

Je reprends enfin mes esprits
et lui souris.

— Merci, Philippe. C'est apprécié.

Lorsque je retourne sur la piste
de danse avec mes amies, elles sont
évidemment **TRÈS** curieuses
de savoir ce que Philippe a bien pu
me dire. Et elles n'arrivent pas
à croire ce qu'il a fait pour
se racheter.

Les pieds en feu, nous nous
arrêtons au bout d'un moment
pour prendre une pause. Monsieur
Parenteau vient vers nous.

— Qui a envie de faire du canot
demain? demande-t-il innocemment.

Un peu gênée, je regarde
mes amies.

— Léa, tu devrais y aller avec Alicia,
cette fois-ci, propose Mégane.

Je suis TROP heureuse!

Je serre mon amie dans mes bras
pour la remercier.

— Merci, Mégane! Tu ne sais pas
à quel point tu me fais plaisir!

— Eh bien, j'avoue que je
commençais à aimer ça, à la fin.
Alors, je vais peut-être réessayer
demain.

Une nouvelle chanson commence
à jouer au même moment.

— Hey, venez, les filles! Il faut
absolument danser sur celle-là!
s'écrie Alicia en nous entraînant
sur le plancher de danse.

Questions de fille

Quels sont tes groupes de musique préférés ?

Est-ce que tu es fan finie d'un chanteur ou d'une chanteuse en particulier ?

Aimes-tu le même style de musique que tes ami(e)s ?

Quelle est ta chanson préférée pour danser ?

CHAPITRE 10

Le bonheur, puissance 3

Finalement, nous dansons, mes deux BFF et moi, jusqu'à ce que nos professeurs épuisés nous supplient d'aller dormir. Nous retournons ensuite péniblement vers notre tente, les jambes et les bras en compote, et la gorge en feu après avoir chanté toute la soirée. Il fait très sombre dans la tente.

Je repère facilement mon sac de couchage, mais j'entends mes amies se bousculer dans le noir.

— Je suppose que mon pyjama
a rapetissé, lance Mégane.

— Hum. Moi, j'ai un problème avec
mon sac de couchage, ajoute Alicia.

C'est là que je me souviens
du cadeau que m'a offert mon père.
Je prends la lampe de poche que j'avais
placée sous mon oreiller et l'allume.

Mégane a mis le pantalon C'est hilarant!
de son pyjama sur sa tête, et Alicia Ha, ha!
essaie de s'enrouler dans son sac à dos!

Pliée en deux de rire, je dépose
la lampe de poche à l'entrée de la tente.

— Écoutez, je vais laisser la lampe ici,
au cas où vous en auriez besoin
cette nuit. Vous êtes trop drôles,
toutes les deux!

Deux minutes après, Alicia, Mégane
et moi sommes couchées. Je suis

vraiment épuisée, mais je n'arrive pas à m'endormir. Je pense plutôt à tout ce que nous avons vécu aujourd'hui. Est-ce que mes amies sont comme moi ?

— Je n'arrive pas à croire que nous n'avons passé qu'une seule journée ici. On dirait que ça fait tellement plus longtemps !

— Tu as raison, dit Alicia. Quel a été votre moment préféré, les filles ?

— La fête, sans aucun doute ! répond Mégane. Mais notre festin dans la tente n'était pas mal non plus. Et toi, Léa ?

Je réfléchis un peu avant de répondre. Je me remémore le trajet en autobus, l'excursion en canot, **la dispute**. Je pense aussi à la barbe en purée de citrouille de Philippe et à ses excuses, aux préparatifs pour la fête, à la musique et à la danse.

Puis, je me rends compte
que la seule chose que je souhaitais
vraiment s'est enfin réalisée. Mes deux
meilleures amies s'entendent bien. ENFIN.
— Vous savez quoi, les filles ? dis-je
finalement. J'ai tout aimé !

Et je le pense vraiment.

FIN

Ma recette de S'MORES DE PAPA

(les meilleurs au moooonde!)

POUR 1 PERSONNE

⭐ **Grosses guimauves**
1 paquet

⭐ **Tablette de chocolat au lait,** 1 grosse

⭐ **Biscuits Graham**
1 paquet

⭐ **Beurre de cacahuètes ou de caramel mou**
1 pot

⭐ **De longs pics à brochettes**
(ou des branches très fines)

1. Prépare un feu de camp. Fais-toi aider par un adulte!

2. Tartine une petite couche de beurre de cacahuètes ou de caramel mou sur une face des biscuits.

3. Enfile une guimauve sur un pic ou une fine branche.

4. Fais chauffer la guimauve au-dessus du feu. Retire-la quand elle est ramollie.

5. Dépose la guimauve sur un biscuit, pose un carré ou deux de chocolat dessus, puis remets un biscuit.

6. Presse le tout. Tu vas voir, la guimauve va coller aux biscuits et le chocolat va fondre.

6 idées pour passer un super séjour de camping

Organiser une aventure Grandeur Nature
Vêtus d'un costume d'Halloween, on s'amuse à inventer des histoires.

Tourner une vidéo Mob
On en profite pour monter une chorégraphie entre amies et enregistrer une vidéo !

CHASSER LE DAHU
On réveille tout le monde au milieu de la nuit et on part à la chasse d'une grooooosse bête. Frissons et fous rires garantis !

Préparer le repas sur le feu
Avec un peu d'aide d'un adulte, c'est super de cuisiner un repas sur un feu de camp !

Prendre PLEIN de photos
Sous la tente, en canot, dans le bois, sur des vélos, pendant les repas et les soirées... on fait le plein de souvenirs !

Chanter en cercle
On pense à apporter un livre de chants et une guitare pour animer la veillée autour du feu.

DANS LA MÊME SÉRIE

DANS LA MÊME COLLECTION

TU ADORERAS...

... faire les tests de personnalité.

... répondre aux questions classées par thèmes.

... créer ton dico des sentiments.

... noter tout ce qui te tient à cœur et tes petits secrets!

Catalogage avant publication
de Bibliothèque et Archives
nationales du Québec et
Bibliothèque et Archives Canada

Titre : Léa / de Meredith Badger ;
illustrations de Anne Cresci ;
traduction de Valérie Ménard.

Autres titres : Camp chaos. Français.

Noms : Badger, Meredith, auteure. |
Cresci, Anne, 1976- illustratrice. |
Ménard, Valérie, traductrice.
Description : Mention de collection :
Série Romans F pour fille ; 6 |
Traduction de : Camp chaos.

Identifiants : Canadiana (livre imprimé)
20189431245 | Canadiana (livre numérique)
20189431253 | ISBN 9782762598155 |
ISBN 9782762598162 (PDF)

Classification : LCC PZ23.B3334 Le 2019 |
CDD j823/.92 — dc23

Texte : © 2005 Meredith Badger
Illustrations : © Anne Cresci, colagene.com

Éditeur d'origine :
© 2005 Hardie Grant Egmont
Originalement publié
dans la collection Go girl !

© Les éditions Héritage inc. 2019
Tous droits réservés

Direction de la collection : Mathilde Singer
Traduction : Valérie Ménard
Adaptation : Sophie Ginoux
Correction : Marie Théorêt
Conception graphique : Nancy Jacques

Illustrations des pages questions de filles,
et de ma recette de S'mores :
©Shutterstock

Droits et permissions : Barbara Creary
Service aux collectivités :
espacepedagogique@ dominiqueetcompagnie.com
Service aux lecteurs :
serviceclient@editionsheritage.com

Dépôt légal : 1er trimestre 2019
Bibliothèque et Archives nationales du Québec
Bibliothèque et Archives Canada

Les éditions Héritage/Dominique et compagnie
1101, avenue Victoria
Saint-Lambert (Québec) J4R 1P8
Téléphone : 514 875-0327
Télécopieur : 450 672-5448
dominiqueetcompagnie@editionsheritage.com
dominiqueetcompagnie.com

Imprimé au Canada

Nous reconnaissons l'aide financière
du gouvernement du Canada.

Nous reconnaissons l'aide financière
du gouvernement du Québec par l'entremise
du Programme de crédit d'impôt – SODEC –
Programme d'aide à l'édition de livres.

Nous remercions le Conseil des arts
du Canada de l'aide accordée
à notre programme de publication.

Financé par le
gouvernement
du Canada